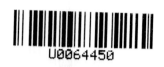

劉福春・李怡 主編

民國文學珍稀文獻集成

第二輯

新詩舊集影印叢編　第77冊

【施牧子卷】

柴火

自印 1925 年 9 月版

施牧子　著

花木蘭文化事業有限公司

國家圖書館出版品預行編目資料

柴火／施牧子 著 — 初版 — 新北市：花木蘭文化事業有限公司，
2017〔民 106〕
176 面；19 ×26 公分
（民國文學珍稀文獻集成・第二輯・新詩舊集影印叢編 第 77 冊）
ISBN 978-986-485-151-5（套書精裝）
831.8 106013764

ISBN-978-986-485-151-5
9789864851515

民國文學珍稀文獻集成・第二輯・新詩舊集影印叢編（51-85 冊）
第 77 冊

柴火

著　者　施牧子
主　編　劉福春、李怡
企　劃　首都師範大學中國詩歌研究中心
北京師範大學民國歷史文化與文學研究中心
（臺灣）政治大學民國歷史文化與文學研究中心
總 編 輯　杜潔祥
副總編輯　楊嘉樂
編　輯　許郁翎、王筑　美術編輯　陳逸婷
出　版　花木蘭文化事業有限公司
社　長　高小娟
聯絡地址　235 新北市中和區中安街七二號十三樓
電話：02-2923-1455／傳眞：02-2923-1452
網　址　http://www.huamulan.tw 信箱 hml 810518@gmail.com
印　刷　普羅文化出版廣告事業
初　版　2017 年 9 月
定　價　第二輯 51-85 冊（精裝）新台幣 88,000 元

柴火

施牧子 著

施牧子，生平不詳。

一九二五年九月自印。原書三十二開。

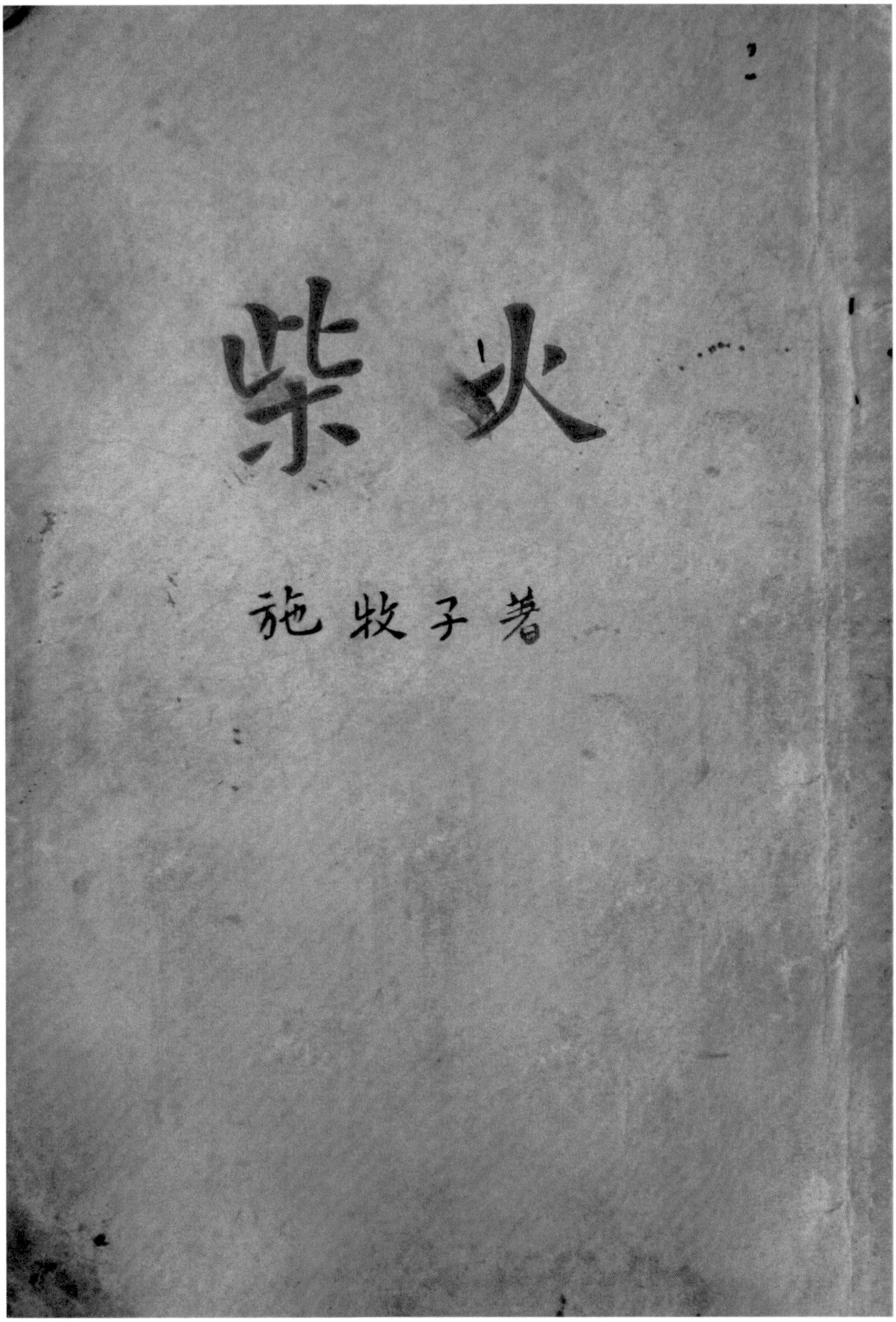

柴火

施牧子著

詩集 柴火

施牧子著

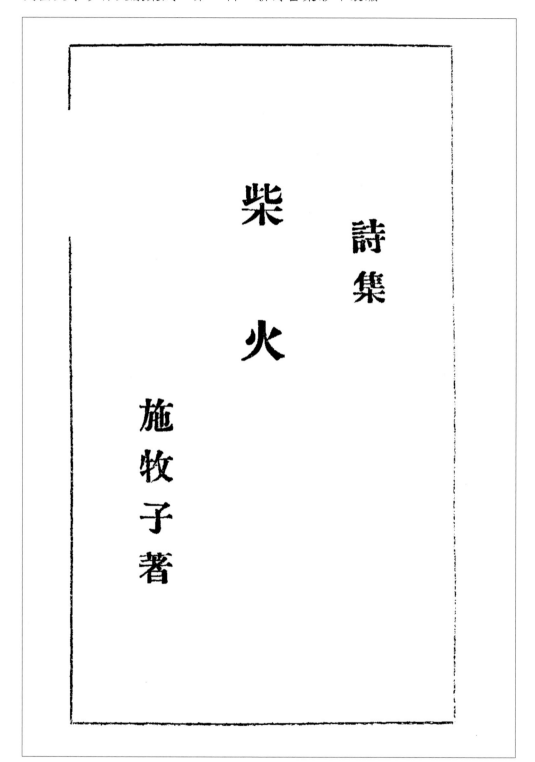

柴火

目錄

火柴

弔牧子（同作）

一

古刹的暮鐘傳自寥空；
歸巢的晚鴉鳴於疏楓。
唉！我們的知心朋友喲！
你怎的杳忽無蹤！

清谿的天四際起了煙霧，
淡淡的夕陽早已睡眼朦朧。
友人喲！你也寂然，

柴火

與那茫茫的宇宙一同昏暈！
初冬的沈露分外寒冷，
滴滴的散下深入莽叢。
你的荒蕪的一坏墳土喲，
也被那清露灑得重重！

你孤寂的冥然長眠，
灰喪了你過去的多少幻夢！
昏昏的天宇這樣沈沈下去，
東方的晨曦那時可以微紅？

二

火　　柴

二

我們都是樂園裏的愛琪兒，
當我們降生到這個世界時：
希望的輝光映在我們澄黃的柔髮；
信仰的眞珠蘊在我們碧藍的瞳子。

當我們能拿着彩旗在晴空揮舞，
大好的風光殷懃圍護於斯：
莊嚴的青山包着古代傑士的雄心；
靜穩的綠水顯著中年母親的麗姿。

清唱的翠鳥喈喈隱身林叢；

柴　火

燦爛的花朵飽飽滿綻細枝。
黃蜂像張翅的金鈴在靜空搖響；
白雲像掛帆的銀艇在藍天飛馳。

流泉像善於談吐的和藹的老人；
溫風像齎着禮物的慈祥的天使。
這些都是我們幼年時代的伴侶喲，
而今已矣！不堪迴思！

三

年光易過，世事重違，
少小的童年也須還上荒嵬！

四

火　柴

唉！我們這一羣無告的孤兒喲！
伴着羊兒，躲在深山崔巍。

我們在昏昧驅着這些羊兒出去，
草鞋濕透了朝露，東方未現明暉；
而我們晚間回來，推關柴扉時，
夜幕沈沈，早已罩得冥晦。

重山之上沿着白石磊磊，
而我們的羊兒又是這麼瘠羸！
狡猾的狐狸時時出來打擾我們，
凶惡的豺狼常常在那裏暗窺！

柴　　火

唉！我們這輩子惟恭惟謹的奉職，
隨時不免主人的斥責和苦槌；
我們承受了全世界被殘辱的痛苦！
我們負擔了全人類被壓迫的誣罪！

四

一日又復一日，一年又復一年，
我們厭惡沈鬱的迷霧；夕悵奄忽的流霞。
春花初放，悄然尋蘭草於幽谷；
秋風緊涼，憮然聽寒蟬於枯條。

六

火柴

唉！我們這樣的銷削下去，
青春的希望已屬雲散煙消！
但我們仍將我們的冀求，
仰禱那重來的燕子，和歸林的烏鴉。

烏鴉晨時辭別那森森的深林，
遍瞰了菁菁葱葱的新郊；
但晚間暮雲平平悽然歸來時，
祇曳帶着毫無表情的一聲長叫！

燕子在那天高氣爽的時季，獨到南方去，
經過了重重的山，渺渺的海，長途遙遙；

柴火

但在那草木競新的暮春翩翩歸來時，
也祇企慕那垂柳，穿舞她的細枝嬝嬝！

五

唉！我們少年時代的豪華喲！
永不會在我們的眼前出現！
我們的兩手也拿不着一掬的陽光，
辜負了我們的雙蹺高高的舉起！
我們這幾個人都是空無所有的：
也沒有賞心的短笛；也沒有逐獸的利箭。
在我們的身上却佩掛着一雙的酒器：

火　柴

一個儲着痛苦的濃釀！一個盛着悲哀的清泉！

深山重疊不少嶺路分歧，
常常的把我們羊兒途迷，
暮色蒼黃欲覓歸徑時，
恐懼與悵恨一齊交迸在我們心裏！

而今喲！我們經過多少的折磨，
也不冀求那寥豁的青天！
我們的信仰已同狐踏狗噬的枯骨！
我們的希望也化古塚頹塔的荒煙！

柴火

六

羊兒喲！羸弱的羊兒喲！
我們唯一親善的朋友！
願我們柔順一切罷，
除此以外更不必有所求！

但是羊兒喲！唉！良善的人！
希望永不能如我們的心願！
我們怎能逃避詈責笞罰的惡主！
我們怎能驅却明遜暗竊的野獸！

你的疲瘠竟成你顛跛的四肢！

而我的萎弱也成我消瘦的身軀！
我們祇好偃躺在荒邱的小徑上，
惰看那花絲的昏飛，與雲朵的倦流。

我們這被幸福忘却的人們，
宇內的一切都爲我們含羞！
清囀的流鶯爲了我們輟啼！
煥發的艷花爲了我們低首！

七

唉！你今寂寂的靜臥一簣土裏，
而我們侘傺留於荒塲！

柴火

困人的景物逼脅如是緊切，
昏昏的白晝又是這麼長長！
晴光的風片拂面尙颼蕭瑟，
月夜的流霜沾衣無盡清涼；
而明輝的夕陽還逗溜崇巍的山巔，
林叢的黑陰早已出來慌張！

但是可憐哪！斜坡之上的一堆黃土，
包藏了往古來今的多少幻想！
願你舒展了化作茫茫的白煙，
無聊的漸向荒草枯花漫揚！

也願你化作銀練的一隻白鶴，
高高的在藍天上翱翔，
經過了無數青山綠水的國土，
在靜空中頻發鳴聲嘹亮。

八

無論松風這麼嗚咽！無論流泉這麼悲鳴！
無論月姊這麼喪臉！無論鳥兒這麼塞噤！
他們費盡心力的這樣的悽惻與祈禱，
終不能使長臥的你更屬蘇醒！

柴火

時至今日，你已吃盡了多少的風霜與苦辛！
你已和過去的時間同歸冥冥！
不必顧那冬朝疏落籬內的孤梅，
也不必顧那夏晚薄紫紗裏的微星。

這偉大的茫茫的宇宙內，
誰是你的知心？
你的命運就是我們的，
所以我們的涕泣交零！

但是喲！我們對你到底以什麼致敬？
一環的花圈你也不敢受領，

四十

火　柴

我們祇製造這幾首悽悽的哀音，
常常在你的墓前悲吟！

十三年九月二十日

火　柴

六十

蘆中人（路人）

一

初冬的陰雲密蔽朝暉；
湖上的厲風斜掃荒隈。
唉！我悽寂的遊人喲！
獨自在湖濱徘徊。

湖濱水淺，叢薄生着蘆葦，
深秋已過，將屬枯萎，
斷梗與殘葉雜橫水面，

柴火

沒有灰白的花絮紛紛飛吹。
一個驚人的所在：
有一身首進躺在這蘆葦之內，
模糊的形狀已難分別，
悽慘的面貌我不忍去看。

唉！蘆葦裏面的人嚇！
什麼時候把你身墜？
或是風緊雞鳴的黎明孤星避滅？
或是黲陰深森的中夜斜月悽墜？

火柴

唉！難認識的蘆中人喲！
什麼緣故使你入水？
或是道路多險偶入冥晦？
或是嫉生憤憤把身自摧？

二

唉！蘆中人！你是否那荒山的牧羊少年？
受不住了主人苛責的嚴厲，
願捐棄你眇小的身軀，
逃避那無可容身的世間！
蘆中人！你是否得痛苦於家庭之間？

柴火

猶一團蓬亂的細絲，無可再理，
那種迷漫的悲哀飽塞你的心裏，
消毀你大丈夫昂昂的志氣！

或許你是個憂鬱成性的人兒？
終日迷戀那荒誕的幻想，或悵苦的回憶；
而命運之神呵！又故意愚弄你，
使你顛倒他的掌上，又踐踏你！

或者你是一個長途旅行者而疲倦？
經過了許多的國土，經過了重大的山川，
但是希望之花呵！在你的眼前，

又是杳渺難憑的長長無期！

或者你有一個絕對空虛的發見？
也沒有天國，也沒有上帝，也沒有眞理，
這些充斥於擾攘攘的宇宙內的，
祇是一羣難解的啞謎與巧妙的騙欺！

三

蘆中人！唉！假使你就是這個的牧羊少年，
那末你瘦弱柔順的羊兒倘在斜坡滯留！
在那夕陽的餘輝已殷勤的和人告別時，
他們祇孤啼的期望着你，伴你同去！

火　　柴

柴火

蘆中人！假使你是得隱痛於家庭而自捐，
那末在遠方或者有你的一個知心朋友！
他恐怕正在遙想你的愁眉，你的苦貌呢，
在那水天一方，隔着白雲悠悠！

蘆中人！假使你生來就與憂愁結了不解緣，
那末你衰老的母親呵，她的眼淚將怎樣的流！
她將怎樣的撫摩你兒時的玩物，
她將怎樣的磨消這滋生疾痛的白晝！

假使你厭惡你希望的追求，

以爲今而後什麼也不想，萬事甘休！
那末你一生的過去都付東流，
辜負你堅忍的努力！辜負你勤勉的隸修！

假使你眞的認定了空虛的就是這個宇宙，
我們生在這世界裏不過是浮漚的盤旋！
那末，這是說不定的，
愛情的金箭或將射中你的心樞！

四

唉！你覺從此歸入幽冥，
但是這浙東的名湖也足包藏你身！

柴火

連綿的環山顯着多少的秀美；
平靜的湖水又是這麼的澄清。

環山青翠，低低的好像秀眉傳情，
而深濃的雲偶然的壓着，那是垂髮效顰。
湖水明淨，澄亮的好像雙眸盈盈，
而輕微的風偶然的吹來，那是喜揚流睛。

青山之麓圍着樹林陰森，
常常有古廟紅牆之一角出現湖濱，
我們若泛舟湖心瞪眼的望過去，
無異是深夜裏濃密森林中的一盞孤燈。

火柴

平湖之水映着藍天清明，
也常有幾朶的彩雲舒舒馳行，
我們若俯身靜靜的望下去，
也發見了趁着幾多美麗孩兒的彩艇。

蘆中人喲！深林裏的孤燈燜着光明，
而滿載天使的彩艇呵，又似唱着歌聲，
你佔有了這樣湖山的秀靈，
呵！你在這裏怎樣的不舒懷暢心！

五

柴火

這叢茂的蘆葦時常棲着孤禽，
在晨時他的一聲長鳴能使你的宿夢驚醒。
而濃重的曉霧也將做你的幕帷；
緋絳的暮霞適給做你的羅衾。

朝霧朦朧，若透進了濃烈的驕陽，
他的顏色，頓變成一片的黃金。
暮霞流墜，朵朵的落下來，
你拾起了，也可綴成一件的繡錦。

你現披着彩霞的衣裳，而身在金霧中隱；
你可上升去，騁馳那深藍的天程，

六十二

火　　柴

你訪得了古代神仙宴會的宮庭，
在座中與他們樽觥交傾。

或者你不滿那種酬酢的煩頻，
獨自降下來，跳着足踏那新荷與浮萍，
那末水鳥們將飛旋你的周身，
而濺起的水花，又是眞珠般的晶瑩。

你的華裝這樣春花的麗絕！
你的體軀又這樣清臘的便輕！
啊！這都因你毀棄茹苦的生命，
獲得那世人所不易的受領！

柴火

六

但是喲！你生前的希望之花已把株根斬盡！
長臥在這裏或許嘗嚟痛苦更勝！
枯寂的隱身蘆葦叢中，受辱似的！
我悽清的遊客喲！怎不雙淚淋淋！

在那春暗如泥的夜間，
玄默的湖上縈旋着你怨恨的幽靈！
但是有誰知道？有誰憐惜呢？
或是你微微的訴泣！或是你輕輕的悲吟！

火　　柴

在那炎威已收幽靜的夏夜，
湖面的流螢伴着天空水底的羣星，
這時你雖也悄悄的出現了，
但在萬顆晶粒中掙不到一點的光明！

在那皓月當空的晴秋夜裏，
湖水平靜，好像銀質固凝，
你佇立沙汀上，仰聽那孤雁的一聲哀鳴，
廻想你過去，你的清淚就悽然沾襟！

在那月斜的冬夜，松風呼呼鳴得可驚，
而林蔭林又時時雜亂他的黑影。

火　　柴

唉！這個恐怖的景象喲，
就是你生前死後的象徵！

十三年十月一日

十三

柴火

自奠詞

發端

「痛苦」誘我到險阻的途上，
悻悻地對我說：
「唉！這就是你應走的經歷！」
「悲哀」勸我嘗惱悅的飲料，
悄悄地對我說：
「唉！這就是你應啜的乳汁！」
「怨恨」迫我帶緊固的鐐鎖，

訕訕地對我說：
「唉！這就是你應佩的裝飾！」

○　○　○

柴火

我現欲避免痛苦的經歷，
唉！祇有將生命路上的我，
從此逃逸！
我現欲拒絕悲哀的乳汁，
唉！祇有將我的心靈，
從此枯寂！

二十三

火柴

我現欲反抗怨恨的裝飾，
唉！祇有將我的體軀，
從此毀滅！

○　○　○

但是喲！
我是柔弱的人！
我雖然經過了幾次的希冀，
終不能和這個世界絕迹！
我現草了這些，
披瀝了我的心血，

柴火

迸淋了我的淚滴，
唉！欲與你們隔絕！

過去何所追憶！
現實何所訴泣！
唉！祇為此區區的，
完成生命之了結！

湖心清水澄澈；
湖旁叢生蘆荻。
我折了他的一枝；
留了他的一節。

四十三

火柴

唉！供在案前，
展開這文太息！

一

在那清新翠綠初夏的時分，
東方的桑原上忽的發現了朝暾。
密布天際的陰雲都輕輕的走散了；
羈留數天的雨魂也悄然無存。
油碧的林葉都給皎陽的輝耀；
潤濕的細草也藏明珠的精蘊。
而阡陌縱橫新綠平鋪的田秧，

柴火

在這霽空晴光下也顯格外的清嫩。

嬌麗的倉庚開始歌唱啁啁；
衆多的麻雀也作鬧鳴紛紛。
呵！他們都正在頌讚呵，
頌讚這明陽能夠驅除陰氛。

在這紅陽初現的清晨，
新綠的原野有一個平安的小村。
幸福的靈光降臨到他們上面了，
歡欣和喜悅充滿他們的門庭！

火柴

一個嬰孩墮地呱呱的聲音，
就在這時在寥空中傳開。
啊！歡欣喲！歡欣傳給了歌唱的羣禽，
牠們更其勇躍的引頸交鳴。

初晴的驕陽這樣的明媚燦爛；
新夏的和風又這樣的慈祥薰温。
啊！你誕生於這樣季節這樣風光裏，
嬰孩喲！你知道否？你的一生！

二

當你初次觀彼蔚藍的靑天，

柴火

特地請安的微飇進來了在你的門前。
他攜帶着這麼高貴的禮物，
呵！在手裏是五色華美的春旗。

斑駁的蛺蝶輕飛着穿舞花叢；
潤澤的翠鳥歌唱着沐浴晨曦。
而那邊飄颻低垂的楊柳，
還偶棲着新自海外歸來的嬌燕。

這幾家的村莊還有一曲的小池，
澄潔的清泉，沒有出水的新蓮；
但一列的叢林，却旁在那邊，

三十八

倒影映在水裏，倍見明顯。

火柴

你的搖籃就安放在這裏，
你嬌小的嬰兒在此安眠。
叢林裏的紅花，十分鮮艷，
花絲紛紛飛起，旋舞你的眼前。

你的心裏頗以那種情景爲驚異，
欲得一囊的花絲供你嬉戲；
你也有折那一朵名花的雄心，
將你的雙手，向空的高掀。

柴火

你在這時不止這麼的慕企；
黃鶯的清唱，鵓鴿的遨飛。
呵！你的心花這樣赤色的煥發，
你的名字就是可以叫做「薔薇」！

三

但是喲！這偉大的宇宙本來是無所不包羅！
或有終身的歡樂，或有一生的坎坷。
他們欣賞這美景良辰趁着精神的暢旺，
而你厭世的意味就醞釀在體軀的孱懦！
這個使你覺得這世界有無限的嵯峨，

火　柴

你幼稚時候卽將羸弱和衰病負荷。
這也是註定了你一生的命運，
你未來的生命不過是幾次的顛跛！

這時有一羣的孩子羣散在青山的斜坡，
各拉着紙鳶的細繩，仰天歡笑呵呵。
你的幻想也追隨那飄颻的紙鳶上去了，
駕着清風和那棉薄的浮雲流過。

暮春時節的暢風溫湯般的融和，
燦紅的苜蓿漫漫的像燎原的野火。
你靜觀着你的小友們，在田間採了這些，

柴火

團團的紫成了赤球，在空中狂拋着，不墮。

勤勞的農人正伏着身插那嫩綠的新秧，
響亮的清歌散洋着這無際的田坡。
這時你雖帶着了痿疲的不適，
但也常到這裏，聽那純樸的農歌。

你孩年時代的辰光就這樣的消磨，
無論你心境的暢快，無論你體軀的帶病；
而你的祖父喜悅着的給你新黃的橙子，
呵！這還是現在連夢裏也找不到的希望的碩果！

四

時間的馳去猶過隙的飛箭，
你經過了幾次多少歡鬧的新年；
現在你已厭倦了這竹馬的跨騎，
開始盼望那金鼓喧天的社戲。

三月陽春的芳草早已長得萋萋，
紅男和綠女連續的走着你門前的南阡，
他們的頭上或簪戴着新鮮的好花；
他們的面臉都有神祕的春光出現。

在夜裏，一列的燈火像長蛇的迤邐，

柴火

沿在湖堤的上面，水裏也在蜿蜒。
哦！這樣奇異的怪物在那新生的春天，
怎樣的打動你這童年的心弦。

你在這時開始縱覽神話和誌記：
或是荒唐的事跡，或是英雄的傳奇。
那種朗漫的行爲，和雄偉的人物，
常常的在你的腦案之中羈留。

古代的傑士駕着駿馬在那戰場上騁馳；
往昔的賢人憑着利口在那廣座中舌戰。
他們或建着奇異的偉功，或得着崇高的令譽，

火　　柴

呵！你敬愛他們，他們顯現你的眼前。

他也傾慕那白雲漂流飛馳海上的羣仙；
你也喜悅那玉光輝映跳舞月宮的美姬。
你的幻想這樣像新花的開綻，
你的體軀也輕輕的在青空中飄飛。

五

詩歌的嗜好你已縕着無盡的煩惱，
這已下了種子，祇待後日長爲蔓草！
你的母親是他背着憂愁與悲嘆！
而你的父親呵，又被那命運神侮弄和顛倒！

柴火

他們經歷過多少的苦辛和追促！
他們衝犯了多少的驚風與駭濤！
唉！祇翻開你生前的一頁歷史喲，
就知道你這不長進的孩子，一生的就造！

你在這時就潛讀在小閣的廂房，
外面覆蓋着朝露深濃的一架薔薇。
你的幻想就在這裏片片開放了，
在濃密青蔭下，展開你的烟山雲島。

這是對於靑春的童年最爲不利喲，

火柴

致成你活潑的身軀變爲枯槁！
你已折了你肩上張開撲撲的兩翅，
再不能在萬里青空中自由翔翱！

你在這時還負担着失怙的哀悼，
唉！這是使你的精神多少的消耗！
這也是眞切的可以測定了你未來的命運，
你未來的生命不過是和那土灰同受風吹的一毛！

枯枝上的烏鴉帶着寒意的聒噪；
空場裏的落葉充滿失望的哀號．
你這時偶然蕭索的徘徊在那牆外，

模糊的夕陽照着蓬亂的蘆蒿。

柴火

六

春天到了，司春的女神出現在這大地，
她輕披着是多少光華燦爛的彩衣，
沿途朵朵散着五色新鮮的好花，
降臨到這裏，曾鼓動她的雙翅翩翩。

她携帶着多麼重大的使命：
指導蝶兒的跳舞，鼓勵鳥兒的嬌啼。
但對你殘弱而且消瘦的人喲，
永不會在你祈求的眼前顯現！

火柴

草木爭綠的春季密雨綿綿，
嬝娜的楊柳枝頭滿逗留着寒烟。
清明的佳節到了，雨跡忽然收斂，
但那新生的紅陽，尙被深濃的沈霧蒙蔽。

就在這重霧茫茫的早晨四野裏哭聲悽悽：
或是衰老的獨母，或是青年的寡妻。
唉！那種人世間難以解釋的隱謎喲！
他給予你心裏的悲哀，就像那濛霧在空中漫迷！

初夏裏的桑園綠葉紛披，

柴火

你孤寂的踯躅着在那兒流連．
有一羣嫻雅的少女，隱在這裏，舉起雙臂．
呵！你窺見她們了，窺見她們的素手纖纖．

滿簇枝上的桑葚是顯着深黑和蜜甜．
你欲摘那一掬，先問那面的姊姊，
呵！這是於你有所不敢喲，
羞怯和慚愧沸騰在你的心裏．

七

這是你一生最可記念的時期喲！
你在這時開始可取得了知識海裏的一杯清水．

十五

火柴

他啓發了你少年可寶貴的好奇的心理，
唔！在你的座前有這麽的良師益友環陪。

他們朝夕的和你會晤與談誨，
呵！你猶一朵野花得着良好的栽培。
你受着他們備及慇懃的灌溉，
在你的枝上就有希望包着一點微紅的花蕾。

你瀏靜的披閱着貴重的史籍；
你精勤的撫摹着珍罕的誌碑。
呵！你這樣的夙與夜寐孳孳不倦，
你直欲和那古代的賢人相追隨！

柴火

你在這時也嘗到了遨遊的快慰，
踏着輭薄的柴橋，十分傾危。
這是與你室內的研求一樣的感着興味喲！
經過了這裏，就迎着重疊的青山巍巍。

重重的山上不少岩石怪詭：
或是輕捷的飛舞，或是猙獰的怒恚。
這都將要開拓你平庸的胸襟，
在你的眼前有這麼的萬象齊備！

你登着了崇高的山巔，眺覽萬彙，
千尺的飛瀑在你的足下飄垂。

呵！這就是你少年應有的精神喲！
一次奔騰傾瀉的懸泉，發聲如雷。

八

你奮發的鼓勵着你少年八的勇氣，
以從事探討那你所希求的眞理；
你猶那遊行者跋涉了多少的名山大川，
經過了遠途，你的希望更形明顯。

你當時適也遊歷那山水秀絕的名區，
由大江的這邊橫渡過大江的那邊；
你的一身如那萬枝叢菁裏來的眇小一葉，

飄浮在浩波茫茫遠樹隱隱的水面。

就在這時天空的蒼雲現得變幻和詭奇，
遠遠的水天之交有一輪的紅日湧現。
呵！你的小心怎樣的喜悅和欣慰喲！
你即學那海鳥，徑直的向他對飛。

在傍晚夕陽已婆娑嫩綠彎彎的楊柳，
清新翠碧的湖面已開展在你的眼前。
低環的青山帶着無限的笑態與媚意；
無數的遊艇穿舞那欲迷未迷的輕煙。

那清晨的驕陽射着朝露，細草們都在閃熖；
晶亮的清泉奏着絕妙的琴絃．
你一路的升着那逶迤狹小的石級，
你的心裏也和着敲珠玉的碎聲連緜．

中夜後的青天是多麼的幽玄和神祕，
稀微的小星在黝靜的湖底安眠．
你這時辭別了那名湖，蹀躞寂沈的長隄，
是你心境最清澈時喲！也最多供你憶起．

九

但是迷網般的家庭終把你的壯志毀銷，

柴火

你的心琴是屢次受着紊亂的挑撩。
要你的母親迷苦的面貌固執的性情，
使你什麼都不想了，祇偷淚悄悄！

你的身邊既有這麼的悽苦和淸愁羈繞，
不自亟亟振拔，祇現徬徨着的寂聊！
唉！這都爲你是殘弱而且不中用的人喲，
乘着月光的皎潔，躑躅靜寂的春郊。

叢叢的萬竿修竹濃陰暗躲，
一朵縞亮的白雲在梢上綏綏輕飄。
你無聲息的孤零的經過這裏，

六十五

火柴

呵！沒有嬌小的夜鶯唱着戀愛的歌調。

這濃密的深林也有疏朗的細篠，
受洗洒那銀霰的月光，倍極紛窕。
但是！唉！你這衰敗的人！雖然覷窺，
自然也沒有素雅的少女，梳着青螺的雙髻！
你這時忽的徘徊那千步的長沙，
蒼茫的海水泛騰着威嚇的狂潮。
唉！這就是我們人類生命的表白喲！
你尚能鼓起你的餘勇，向他號嘯。

七十五

柴　火

你又佇立在那海水上的危崖遠眺，
四面環拱着尖峭的翠島，低微的衆礁。
明輝的驕陽射着青碧的波瀾，泛着金光，
呵！在裏面有潛藏着的無數奇蛟！

十

那時的命運神尚給你莘莘研究的時間，
你的心靈還被閉固着，在點點的文字上流連。
嫩綠銀杏的葉子，受日光絲絲的透射，
在暗室的窗內望上去，呵！是跳舞喲，又招展你！

清碧的湖水顯着漾媚的漪漣，

八十五

火柴

一列柔垂的楊柳，隨風飄展．
你這時隨着徬晚遊散的人們，
啊！有一卷可愛的詩集擕在你的身邊．

你就登着廣闊的城牆上棲遲，
在外面羅列着堆堆的墳墓一片．
這時你的企圖就是這麼的，
願你死後將抒情詩人的雅號飛揚你的墓前．

朦朦的夕陽息在西山將欲冥眠，
那遠處矗立的煙突頓然起了白煙．
唉！你的眼淚爲他暗暗的洒蹦，

柴　火

洒那鐵棚外湧出了黑簇簇的一大批！

昏黃的天色終究沈沈下去，
竿竿的電燈悽惻灰白的照炫，
你經過崇高的牆下，踏着自己的影子，
呵！你飽飽的嘗着了現代人的悲味。

你這時爲被壓迫的不幸者哽咽，
哀這混混的人類，處境多麼巇險。
你察覺了有一層薄膜隔在人和人之間，
想以你眼淚，用來銜除這些，使他不能蒙蔽。

十六

十一

你這時欲窺見現代文明的面容，
在高深的密室內，遇着一羣的童工。
他們萎黃黑黝的小手揉他們雙目的緋紅，
呵！這是怎樣的使你的心鐘振動！

也遇着一個貧家的幼女，在那軋軋的輪船中，
爲博乘客的歡容，張開她的喉嚨。
你這時深深的替她結算了，
結算她未來逃不脫慘惻幽暗的命運。

你向車窗外望那上來的旅衆，

柴　火

有一班災黎，被拒欄外，只有目送。
車身轟轟動了，你也去了，
但他們却仍在那邊做榮歸故里的好夢！

你也逢着可驚可奇的丐者在那路旁，
張着餓口，雙膝齊跪，雙手高拱。
唉！那種被這世界造成得這麼似的，
你還是對他們厭惡呢，還是哀慟！

你短小的經歷，已窺見了這些，
你遂斷定了人類在這世間不過銀幕上的憧憧！
雖然曾經片片的開演過了，

二十六

但是究竟呵，仍是難以言說的虛空！

無論這世界，只有虛空，只有憧憧，
你假倘不灰心，祇是表示心痛。
你欲以詩歌的著作，熱烈的呼喊，
使這世界的生命更加裕充。

十二

你雖然真切的覺得了自己的固陋和疏淺，
這培植你的，養護了你五年，終把你放棄。
你回到了那你並不愛慕的鄉間，
呵！更有什麼悲哀比你這個失學的少年！

柴火

幽玄的夏夜你和好伴靜坐在西方的橋邊，
下面是一條狹長而且黝暗的小澗。
紛紛的流螢出沒茂長田禾的上面；
有車水轆轆的聲音，發自菁蔭深黑的河涘。

涼風微微來了，東方忽現開霽，一輪明月湧現，
你的好友也開始彈動他絕妙的三絃。
他靈敏的手指，挑撥琴絃，流泉般的滾滾；
你哀怨的眼淚，淋淋滴下，串珠般的綿綿。

你仰頭望那繁星們也都作啾啾細語的悽悽；

六十四

火柴

有一粒隕石帶着美光徑直的墮地。
唉！這就是你少年人幻滅的希望哟！
最難堪的是：還是他將墜未墜時的幾次搖移。

你這時尚曾聚過有望的青年，一堂濟濟，
將你們所希求的問題，細細玩味。
你這時的心裏終是這麼想的，
雖不開闢一新天地，而這區區的，終可實現。

你也稍稍費動你的思慮，
帶着了這些，以與你所神聖的相見。
但你此次間去，泡影即在你的眼前，

柴火

而且來凄迷的雨絲，和蕭索的風片。

十三

你還想移植你希望之花在一處的山坡，
欲在這裏收得那澄黃的佳果。
但是枯萎不久隨即來了，
呵！你的心靈落在深黑的海底裏安臥！

孩子們緋紅的顏面，露着可愛的笑渦，
琅琅的書聲紛紛的散揚在滿座。
但是！唉！你這枯寂而且失望的人，
終以爲這就是送盡你一生的葬歌！

火　柴

你孤寂的在那江濱重重的徘徊和嗟哦，
將已鬪死灰的心事，再來摩挲！
蕭涼的清風廻旋過這盤紆的江上，
你對那隱隱的遠山涕泗滂沱！

唉！你這失學的人，思知識的飢餓，
空自懊喪着大好年華的蹉跎！
那綠蔭森森書籍琳瑯的地方，
終不能被你夢想到爲安眠枯骨的墳墓！

迷濛的誘惑張着使人跳入的網羅，

柴火

你的神志像逢到懸崖的長墮！
不定的心意終漸漸的遊移了，
呵！鑄成你一生最堪囘憶的大錯！

這一條細長柔弱的女蘿，
羈在你這一枝，與他同樣的孱懦！
狂風起了，你也折了，他也倒了，
唉！我們就知道這是悲劇的開幕！

十四

你從前的眼淚，還可以算是炎夏的大雨點，
那午後雜沓的打那蓮塘的葉子，忽然收霽。

火柴

但是你現在呵，絲絲微雨般的沈下，
終不會再有輝着夕陽朗豁的青天！

你從前爲估量你的將來而輾轉失眠，
從悄暗的深夜一直到晨光的初晞，
喔喔的雞聲，方始催你沈沈睡去了，
呵！空虛的！空虛的！空空的毀傷了的肢體！

現在呵，什麽也不會擾亂你的思慮！
你的心君還是疲倦呢？還是厭棄？
盤旋的白光在你的室內模糊的發現；
跳躍的文字在你的眼前搭訕的遊戲。

柴　火

你曾以熱烈的心腸愛這人類，愛這世間，
願你的血爲他的迸；願你的淚爲他的飛。
你現負着荊棘處在這迷離惝怳的境地，
他們却或嚴肅或詭誕在你的身旁顯炫！

什麼母親之愛呵，你也不去慕戀。
她給你的安慰，不如你給予她的苦纏！
呵！那裏是你身軀的歸宿呢？
祇是崇高的黑魆魆的城裏！

中夜後的廊燈陰影可怖的慘悽，

十七

淅淅的風聲好像有什麼東西正在嗚咽•
你這時正在寂立的呆想着，
呆想有一個萬念俱灰的青年蹓躅在江邊！

十五

你這時辭別了這裏，昏昏的在千山中徜徉，
灰淡的暮雲尚透出一抹的殘陽，
沿山的屋宇都給他照得黃黃了；
呵！你消盡的心火，不能再映出返光，照在古牆！

你也盤走那山徑，蜿蜒曲折的羊腸•
有一條小溪，互相依傍，和他同長•

柴　火

牠琤琤琮琮彈奏着清越的佳曲，
呵！怎能引動你敝舊的心琴也稍起輕微的一響！

你經過廣大的桑海，綠波洋洋。
踏在遼長濶橋的上面，下有清泉晶亮。
唉！你這殘弱的灰白的人兒喲！
有否俯着身子窺見你自己的面像？

慘白的天空遍洒着月光悽凉，
終把你帶病的身軀，送到你的家鄉！
兩邊的河岸寂靜得啾啾小聲都沒有了，
呵！在中間蕩着咿咿啞啞的歸槳。

二十七

柴火

你飄浪的生涯終棲居這浙東的湖旁，
最初拜訪他時，在在碧波輕揚。
呵！是少年女子的跳舞喲！
這就是她第一次顯示給你的面相。

據說這秀麗的名湖有不少的仙子飄颺，
披着華美的衣裳向青天自由飛翔。
但是！唉！她們會否顧慮你這衰敗的人？
你衰敗的人心裏難醫治的巨創！

十六

柴火

這個的刺激最是微傷你的心裏，
你當初的象徵，還是一朵赤色的「薔薇」！
謝了喲！謝了喲！紅薇花殘的飄下汙泥，
任他車輪和馬蹄絡繹的在上面蹂踐！

這清秀的名湖屢次變易他的面臉，
在你失魄似的徬徨時，就可窺見。
從涼爽的新秋一直到列寒的冬季，
呵！曾經幾次將她的顏面改變！

現在喲！祇是一個憔悴女子的悽悽，
她好像為一個斷盡一生的傷痛所苦羈。

火　柴

模糊的沈雲靜靜的罩在這湖的上面，
呵！她是用灰色的布蒙蔽額前！

大雪飛來了，環山都爲他所蓋蔽；
這憔悴的女子，也著縞白的素衣。
唉！這就是你朝夕繫念的女人喲，
在將來要做你永久的伴侶！

你此次爲這偉大的世界所摒棄，
哀哀地悄悄地投入湖心的裏面！
再莫說有壯烈呵！再莫說有勇往呵！
不過是無可奈何的逃避！

火柴

時間到了，檯燈發着幽暗的光燄；
戶外的小星淌下眼淚點點。
你經過了陰黑靜寂的街上，
一片慘白的湖水在你眼前開展！

贅尾

「慚愧」盤旋在輕煙上面呢，
因爲你是衰敗的趨入湖裏喲！
「羞辱」潛伏在荒草裏面呢，
因爲你是懦怯的避入湖裏喲！

六十七

火柴

「罪孽」隨呼呼的松風而飛揚呢，
因爲你是不顧惜大好年華喲！
「戾愆」隨慘慘的月色而降至呢，
因爲你是逕直的捐棄一切喲！

○ ○ ○

衰敗的湖裏人喲！你知道否？
空中的飛雁張着利嘴長鳴呢！
懦怯的湖裏人喲！你知道否？

柴火

水內的游魚開着巨口呼吸呢！
罪孽的湖裏人喲！你知道否？
那隄塘裏有不少的鼠獺出沒呢！
戾愆的湖裏人喲！你知道否？
這沙渚上有衆多的螻蟻繁殖呢！

○ ○ ○

已矣哉！唉！他覺眠這裏！
一切都沒有了！

十三年十一月十二日

七十八

柴火

一

中午後的冬陽尙現蒼黃；
衰萎的蘆荻偃臥湖塘．
唉！我們這從重重的山裏來的，
一羣的牧羊童子正在逃亡．

痛苦和悲哀負壓我們的心上，
昏昏的行着，無限愴惘！
這些的囘憶卽使被卸除了，

柴火

但我們仍要對那穹蒼，含淚汪汪！

因爲我們是逃亡的人喲，
逃亡的人生活可悲悼的放浪！
偉大的天宇雖是這麼長存的，
但有什麼地方，可以將我們安藏！

凶暴的惡主一言念及心傷，
我們爲他洒的眼淚，豈祗數行！
他銷毀我們的容顏！
他碎裂我們的心臟！

火柴

但是我們畢竟是人喲，
人的心靈怎被他安安埋葬！
我們必要切齒那麼做的，
在那一線之生可以期望！

忍不住了！忍不住了！
同是一樣的受罰，何似膽壯！
估定了生命，什麼不可做的？
卽趁那月夜，走向八荒。

二

但我們的前途究屬茫茫，

柴火

我們這幾個人不知何往！
別離了冬天澄亮的湖水，
向那邊轉過一山岡。

山岡下雜亂生着叢莽，
已死的荊棘，刺我如錐！
唉！我們自潛逃以至今日，
經過了幾度的冷月與曉霜！

過去之事呵，速忘！速忘！
我們再不要爲惡主而自已悽愴！
認定了自己，趨生勇往，

呵！就得着了生命之光！

祇要我們自己能夠奮力，有何慌忙！
不顧從前的迷路；何慮後日的重障。
唉！我們雖然同羊兒一樣的柔順喲，
但也有一日呵，知正義的抵抗！

火柴

我們在這荒山的狹徑裏徬徨，
仰頭迎着無數的山嶂，
曲曲折折不盡的盤桓着，
呵！有無際的平原豁然開朗。

柴火

就在這時殘陽一抹的西方，
睡眼矇矓的暮日，悄然下降。
唉！祇剩我們這幾個人，
在那一片的原野，遼曠！

三

曠遼的原野，競起白霧，
漫漫的圍合了，蒙籠蔓蕪。
深冬的黑暗來得何其倏倏忽，
一剎那頃就是夜幕四佈！
我們在這時開始驚慌的速步，

火柴

但我們已竄入險惡的歧途。
這平廣的地野顯然俱是墓塲喲，
行不盡的，行不盡的，怎能飛度！

重重的行走，難識去路，
纍纍的墳墓，愈加密布。
頭上的枯枝垂着死貓；
足上的窟穴藏着狡狐。

一切都是隱蔽，一切都是模糊
祇有恐嚇與驚懼，給我們目覩！
這幾天似乎垂憐我們的微星，

柴火

也不掙着螢光，悽孤！

我們索索的行着不敢細語，
遠地來了森冷的風聲呼呼。
唉！這是爲的什麼喲？
怎吹顫我們的毛髮這樣可怖！

是魔鬼們開始出現嗎？
他們先在那邊震怒！
倏忽的不到一刻的時間，
果然在我們眼前顯露。

火柴

四

我們窺見魔鬼們無數，
星星黃色的微火，他們口內在吐！
金鈴似的兩眼輻射八方；
枯柴似的四肢正在跳舞。

就在這杈枒老松的下面，
大家很滑稽的一起一仆。
我們也隱隱聽見異樣的歌聲，
呵！在表示他們的歡娛！

我們這些逃亡的煢孤，

柴火

眇小的心靈，有否恐怖？
沒有呵！因爲他也厭棄了，
再不願在我們身邊羈附！

這也罷了，這也罷了，
假使魔鬼們已將我們的枯骨埋在荒土！
唉！我們的一生就算了結喲，
我們的一切俱歸於無！

或者他們欲取食品用我們的臟腑；
或者他們欲得飲器用我們的頭顱；
我們喲！豈能怯弱地在我們生前，

火柴

目睹他們做到這麼的一步！

我們自己走着我們的路，
對於那些凶惡的東西也不必多顧。
假使他們必欲得我們而甘心，
我們惟有與他們決鬥，盡我們的奮努！

五

這荒場裏有枝枝的枯柴散棄，
呵！我們快將這些拾起。
把他燃着了熊熊的光燄，
當那火炬，在手裏牢持。

柴火

我們就放着膽循這狹徑的向前，
也不知有畏懼；也不知有驚悸。
假使魔鬼們出來了，直撲面臉，
我們祇有逕直的向他們宣戰！

他們必欲以我們生命爲玩戲，
我們豈肯儒怯地隨他們處理！
用這光燄薰黑他們的雙目！
用這烈火燒焦他們的膚肌！

我們必要使盡全身的力量，

十九

火　柴

以與他們交鋒，激揚蹈厲！
假使我們被戕了，那便休了，
否則呵，祇是他們盡殲！

這個靑年人所有的勇氣，
畢竟是可寶貴而且奇異。
這些猴舞雀躍的魔鬼們，
他們的蹤影好像漸漸隱微。

蹤影消滅，正是開始退避，
這次的努力，就得勝利。
現在我們雖煢走在深夜的墓塲裏，

柴　　火

却同安步在春天的平安的土地。

六

在這裏就得一個教訓，須我們牢記：
一切的成功都在我們自己。
無論什麽不經自己的努力，
不過是一個泡影的發現！

我們再不要盼求那陽光，仰首悵企。
如在這墓場，想念東方的晨曦。
無論這時等待得如月如年，
而我們的心靈，已被那魔鬼們逐漸分離！

二十九

火　柴

我們更不宜將過去的事情，頻頻囘憶。
致使雙足停着，氣息奄奄！
這是使魔鬼們更其欣幸喲，
拖曳我們身軀多少輕便！

啊！在我們面前沒有一些的微意，
除非這盞明燈，是我們自己高提！
什麼是賜予我們的幸福喲，
是一個迷恍心志的騙欺！

空想和囘憶，叫我們哀哀自饒！

柴　火

我們還是少年，正可大自奮勉！
過去消失了，將來也不冀，
現在的一刻切齒不使拋棄！

唉！我們這一雙的空空白手，
什麼陽光啊，希望啊，都藏在裏面！
願我們奮發的運用他能，
使他的功效最大的開展。

十三年十二月五日

迴光

一

灰暗的陰雲蒙蔽稠密，
峭厲的朔風吹到凜冽。
呵！瑟縮的深冬晚上喲，
天宇內的一切都帶着哀戚！

陰雲塊塊罩下欲將堆積；
朔風陣陣吹來欲使膚裂。
在這慘惻的天宇之下，

柴　火

有什麼傑士能和他們犯迸！

在夜間幽慘的月色自己暗咽，
這朵朵的雲塊仍在空間飛翼。
尖銳的冷風吹進窗隙，
我熒熒的光燄欲滅未滅！

天拂曉了，亮光在我室內映射，
澄白的輝來，迥異乎昔。
呵！大雪罩遍這山郊原野了，
使他們俱現秀美的純潔。

火柴

一切秀美好像銀光閃爍，
這個天宇巳把自己重新開闢！
那裏是天國仙方嗡？
就在我們面前，雙目所及。

可知他從前暗澹，從前悲戚，
他內在的生命，正在努力。
憂愁地過去了他的時日，
忽誕生這麼的奇蹟！

唉！我從前頽廢的遺轍，
願今後一些無跡！

柴火

這些的悶恨，這些的惆悵，
再不保留在我的記憶！

我今後不知有哀悒；
我今後不知有啜泣，
我欲造成我的世界，
用晶亮的白絲自己工織。

我寶貴我自己
這個明亮澄白的玉質。
呵！我也有這麼可信的，
他的瑩光能耀照一切。

火柴

現在我的才思就此放逸，
東西開展了，奔走迅疾。
我必努力我的創造，
使我的生命更加充極。

二

在深山的密林之間，
有一個旅客孤身途迷。
他低着頭覓他的歸徑，
狹小的羊腸路終不在目前。

柴火

密林裏的青蔭重重遮蔽，
仰頭難見那深藍色的青天。
有許多山鳥們在此宿棲，
隱藏他的身翼，作山鬼的啜啼。

他急率的尋着他的去路，
也不管那清嫩的荊棘萋萋。
他有時也賈勇的跨過了，
那注着晶流的淙淙小谿。

他到此爲貪那風景的幽妍，
忘却了一切，祇顧流連。

柴火

或者欲尋那名花清香秀麗；
或者欲擷那佳果珍貴稀奇。

現在這事將給予他以驚悸，
但他並不這樣，仍具十分勇氣。
他雖然也遇到峭削的危崖，
但攀着藤蘿懸下他的身體。

懸下身軀就是竹林連綿，
他左右折轉着不灰希冀。
呵！果然在這竿竿青綠之間，
有一片平原突然透現。

柴火

平原裏有幾家村舍站在那邊，
上面升着晚炊的青烟縷縷。
他卽急急地行到了這地，
訪問他的家鄉在那裏。

唉！我們芸芸的衆生喲，
在生命道上怎不誤歧！
祇要我們能奮發的尋着罷，
新綠的田野自會開展。

最無謂的是：祇作空空的囘憶，

火柴

將過去的錯誤，一一記起。
那末我們將永遠的在這深山中留羈，
山鬼們要叫我們去運物件！

唉！我們生命的道上喲，
必會升起幾縷的青烟！
這不是失望的表示喲，
是努力的報酬呢！

三

浩浩的汪洋，遠離青山，
一片無涯的，祗有水天漫漫。

柴　火

就在這重波起伏的上面，
顛顛簸簸的有一隻孤帆。
水鷗們就來這裏遊閑，
圍繞着他們，頻頻往還。
呵！是這偉大的青天碧海裏，
點綴着的無數白斑。
船內的人們有些坐在篷監，
繫着了繩索，抛擲向外。
他們爲什麼鑽入這深水內的？
欲撈取海底裏的珍產。

火　柴

他們並不以這個爲憂念，
那繩索或被波浪所斷壞，
那末他們將再不能泅出了，
要與魚蝦們度過一生涯！

他們也不以這麼爲寒膽，
海底的大魚巨頭冥頑。
他碩大的身軀龐然來了，
他將怎樣的不爲他所陷！

現在他們升上了，計算所懷，

柴火

得着顆顆的眞珠明光璀璨。
他們這樣的頻頻勤努，
呵！就能得着重載而返。

重載而返，歡笑暢談，
妻子們也快樂無限。
明朝將這些陳列市闤，
估價的人重重圍環。

唉！我們少年的希望喲！
必在深廣的海底安埋。
我們若欲獲取這些，

一百〇六

火　柴

對那茫茫海水，須毫無所懼。

若祗百無聊賴的呆立沙灘，
或重重的祈求和徘徊，
那不過是增加惆悵罷了，
就是空虛的「望洋興歎」！

唉！我們少年人的生命喲，
必要衝入那滔滔的波瀾！
在那裏奮力的泅泳罷，
就能獲得那眞珠，發光明粲。

柴火

四

西山的明陽將欲收藏，
純樸的船夫三二沿在河塘。
傴僂着身子拉那重負的縴，
遼闊的原野，一片黃蒼。

原野裏的白霧輕輕開放，
漸漸會合了，漫成茫茫。
明媚的青山遠遠模糊了，
呵！夜的世界已經臨降。

天空的星宿點點明朗，

火柴

搖搖的炫着，透出光芒。
啊！這些都在慰勉他們呢，
慰勉他們向前程努力進往。

因爲他們這責任，負在肩上，
是多少的重大與高尚！
那些旅客們靜默的躺在船艙，
正在做着歸家的美夢。

那旅客們中有有衰老母親的遊子，
那母親曾見那枝上的喜鵲而心傷。
那旅客們中也有有賢淑愛人的情郎，

柴火

那愛人曾對那南山的白雲而悵望。

這時他們的口內就有清歌在唱，
還鄉的快樂與歡聚的喜狀。
他們一面打動那些旅客們，
一面使他們的精神更加暢旺。

他們這樣行着這長河之旁，
身外的一切，俱等於忘。
什麼憂愁啊，飛在雲霄之外，
在前途發見無限的金光！

十百一

火　　柴

這麼就是我們少年人所應做的，
我們少年人正當的希望。
我們要肩負着重大的使命，
却須得些輕微的報償。

我們必要將艱難自身去嘗，
不管那撒下的涼露與流霜；
索索的行着向那前方，
眞理呵！神聖呵！縈繞我們身旁！

唉！祇要改變我們態度罷，
地獄立時可以變為天堂。

柴火

我們就可以和那班船夫們，
勇發的長歌高唱。

五

都市的橋上江風爽清，
黑簇的人類擁來陣陣，
在這憧憧往來的中間，
夾着一個携着書函的綠衣人。
這人類或者爲宣洩欲望而横行；
這人類或者爲企圖微利而鑽營。
而他呵，却是孤悽伶仃的，

火柴

專心行着，帶着重大的使命。

梅雨初過，這長街洗淨囂塵，
而足下却滿塗着泥濘。
他捱次的分着他所攜帶的，
交給那門外人，心裏就起怦怦。

那門外人展開了，向內轉身，
一路的讀着，驚喜交迸。
因爲有很好的消息傳給他了，
他們的閤家都自相慶幸。

柴火

這是或因爲有個充入軍籍的長兄，
忽逃出了火線，流落在江之濱。
這是或因爲有個死耗已經證實的弱弟，
忽再生了，正在負手孤吟。

他勞苦的給人們以音訊，
但人們並不給他一個好音。
他不以這遲爲疲倦而厭棄了，
這是上帝交付他的無上的責任！

他以歡樂給人們，而淡漠自己受領，
他也可算是一個上帝的化身！

火柴

因爲上帝賜予人們的幸福，
並不依人們的報酬爲估評。

唉！我們勤奮有爲的少年人，
我們須時時將歡樂的種子埋在人心。
却不望人們也將一粒交給我們，
上帝是永不肯乞過幸福用他手伸！

我們不要管那露骨的雙足爲難行；
我們不要管那菜色的面臉爲孱病。
將愛普遍的撒與人間罷，
輝光來自自己身上照在前程！

柴火

我們有一個珍奇的什物，
就是我們少年人寶貴的光陰。
我們要慎重的利用他罷，
揮發我們至善的天性。

六

窮荒的塞外土地廣漠，
一片無垠的難見草綠。
有一隊騎士並列在這沙海之上，
跨着駿馬，顏色斑駁。

火　柴

塞外的朔風開皮裂肉，
陣陣的沙粒迎面相撲。
他們並不以這麽爲寒怯，
堅忍的跨在馬上，遠遠矚目。

遠遠矚目爲的是敵國是否引兵相釁，
狡啓了彼等的心，其欲逐逐。
於是他們就施正當的防衛了，
置那些敵兵全軍沒覆。

他們並不畏那槍林山簇；
他們並不畏那彈雨雹落。

一百十七

柴火

奮力地和敵人決鬥罷，
他們必不受那強權所屈服！

他們欲保全我祖國的疆幅；
他們欲愛護我和平的民族。
他們常以這麼為切念的，
如遺那人類歷史的羞辱。

他們必激勵地不少退縮，
除非這些窮寇，盡行驅逐。
那些不親臨戰場而遠遠念顧的，
正在敬虔的馨香禱祝。

一百十八

火柴

假如他們與那敵人相殺戮，
至被戕了，僵臥朔北。
那末這萬口的衆生所崇揚的，
冲天的輝光將他們護覆！

唉！我們少年人當以這麼爲自勵，
鍛鍊我們的必志堅苦卓絕！
我們必不宜自貪安樂，趨走荒漠，
親至那風沙列括，天地凍涸，

我們必不宜因爲艱難所促，

示弱的效窮途之野哭！
嚙齒的磨練我們工具罷，
那畏那些祟祟的強暴！

唉！竭我們的精神爲人類爲祖國，
爲擁護崇高的理想將性命拋覆。
不因瑣瑣的細故而自己毀絕，
宇宙的八神啊！將爲我們設筵娛樂！

七

繁華的城市紛揚塵囂，
陣陣來往的人羣，攘攘擾擾。

火柴

在這雜沓喧鬧的聲浪裏，
有一個聖者正在宣敎・

他頭上的竹笠，半屬零凋；
而足下的草履，祗剩細索幾條・
嘴邊有幾縷灰白的髭鬚，
夾在萎黃的臉面，微皺・

他惓惓的講演那人生意義的精要，
務必求其詳盡，解析明瞭・
奇異的態度驚動那般羣衆了，
致使在他的身旁重重圍繞・

柴　火

他談講得這麼的精細與微妙，
但不能啓發那混濁的人類的芻蕘！
滔滔的言詞連續不斷的下去了，
祇激起了一陣反對的狂潮。

於是有些人就目他爲人妖，
將他拿去了，加上鎖鐐。
他們忍殘的心理一些不曾回頭，
十字架上還叫他去休息一下！

他對於那些的凶暴和荒謬，

一百二十二

火柴

祇是表示着微微的含笑．
他還是這麼樣的想念，
他們的胸內尙未通曉．

現在他就改變了，那麼做來，
帶他們的罪惡上那雲霄．
而猶繾綣的眷念他們，
用他眞理的明光在靑天照耀．

咲！我們少年人欲將這個世界改掉，
須自身到這裏面不絕呼叫．
若因此而受到了惡意的相加，

柴火

我們須認爲工力不足所致招！

我們必不能將牲命自己無謂犧牲，
使我們的一切俱屬瓦解冰消！
除非是這麼方可以毅然決然呵，
能將人類一切的污濁都負去了！

誰是上帝？我們自己就可以爲上帝喲！
愛人類，不以那細故而計較。
上帝在那天上就是這麼的，
他堅決的意志不爲一切所動搖。

火　柴

六

廣闊的海水正在瞥衝；
深沈的黑暗正在蒙籠．
唉！這是什麼地點什麼時期喲？
宇內的一切那不哀慟！

微弱的羣星，淌淚溶溶；
悽彎的孤月，也至無蹤．
唉！這時代的營營衆生喲，
那裏可藏眇小的微弱！

緊密的層雲忽現散鬆；

柴火

陰暗的波瀾偶閃品融。
呵！大家都來祈望呵，
祈望那明陽立時洶湧！

絲絲的光線終至通紅，
龐大的陽輪果然高擁。
大家都快來歡迎呵，
一切的生物歡樂鬧鬨！

陽光上射那蒼穹，
蔚藍的天幕喜色雍雍；
陽光下射那地甕，

一百二十六

火柴

森密的林木笑貌悠悠，
青碧的高山程然巍崇；
澄綠的清水欣然和容，
燦爛的花朵還輕輕的招迎着，
招迎那溫馨的薰風。
幽香的深谷，翔着飛鳳；
撼波的海濱，騰着游龍。
呵！時代眞的改變了，
我們就可以當那天寵！

柴火

唉！鍊我們的精神沛充，
將這個世界重新陶鎔·
時代已造成得這麼似了，
呵！自己的勉力！自己的奮勇！

我們震擊我們的心宮，
卽搥動那洪大的金鐘！
聲浪傳佈了這青青的晴空，
一切有生之屬都在震動！

紛紜的衆生，無處無蹤，
願我們同携手登此大同！

火　　柴

我們不知有其餘了，
一切的都融化在此中。

十四年二月八日

柴火

一百三十

春禽之歌

一

春朝的原野，碧草如茵；
清新的湖水，綠波粼粼．
在這新生彎穹的晴空裏，
盤旋着你一隻孤禽．
你下射祇線覷你那湖底的俏影，
發見了銀光毛羽的影零，
你不禁索然而卽憶起了，

柴火

你從前所經過的多少傷心！

你當初本乘那姣小身軀的便輕，
和那純潔的飛羊，同遨雲程；
棲息那晶瑩輝映的宮庭，
聽天女們奏着金玉，噹叮。

你忽覺得這個世界很屬可親，
你必不忍對他們遠離煩塵，
常常的迴旋過那些田塍，
以度過你寶貴的年青。

你屢屢與他們表示慇懃，
而他們卻覬覦你毛羽如霜錦，
用他們的利矢向天高擊，
射中你美麗的銀翎！

你從此就閉口含噤，
苦苦地寂寂地變淚盈盈！
但終究至於醞釀不住了，
不能不張嘴長鳴。

二

你從前為哀憐這般人類的擾營，

柴火

每發着清唱，用來促醒，
悽愴響亮地終沒有住過，
竭盡了你全個的心靈！

這人類各個願着各個的爭競，
攘奪那小利，至貪微蠅，
稍稍獲得了，就沾沾自欣，
那覺得你悲慨的翹音！

這些人類雖是這麼的頑冥，
你不忍棄去他，同到你的仙境。
你不計你的功效已到怎樣了，

火　柴

祇問你所有的心力有否用盡。

你曾採那仙草從那帶雪的山頂，
撒下他的種子，生長茂盛。
那般衆生都卽擷去而嚼食了，
要增加他們正義的聰明。

你也曾含那貝殼從那茫遠的瀞濱，
那些都有高貴的斑紋，透光蘊精。
那般衆生都拾去了，佩在胸襟，
要助長他們操守的固貞。

柴　　火

可是他們終究要荒誕湎沈，
汩沒了他們可貴的天性。
失望在你的面前像朔風陣陣，
你悽悽的孤禽，怎能飛行！

三

自從那災難臨到了你的身，
你自己不能不驟然斂毛縮頸。
雖然也曾在青空中迴旋翔憑，
再也不敢發那同情的鳴聲！
你從前展開你的皎翅而出行，

一百三十六

火　柴

這青天中，好像搖着金鈴；
澄白的雲球，似深夜跳躍的繁星，
紛紛的圍轉，發光晶明。

當你一日的工作完了，開始起程，
彎彎的月兒在西天體態娉婷，
姍姍的遲留像期待什麼似的，
呵！她爲你的勞苦而特地相迎。

這溷溷的地面，雜動黑影，
多少的觸目，動你憐憫！
怎樣的掀波在你良善的天性，

柴火

那會永遠地默默高憑！

痛苦呵！痛苦呵，你的食品！
你飽飽的啖着，更其健飛強凌。
你豈能終究爲他所制領，
悲傷地過了你的殘春！

你爲小小的創痛將志未伸，
豈能永久地背棄你的使命！
嘗過了這番經歷志念愈貞，
奮發着所有的力量，比前更勝！

火柴

四

你今識那愚弄衆生的命運神，
他就是那罪惡的象徵。
他雖然高擁寶座，雙目合瞑，
一切的汙濁都爲他雙手所造成！

可憐的是那昏昧不知的衆生，
還是在他座前，哀哀祈求，乞他垂憫。
他不但漠然不知的捨棄他們，
反巧妙的將他們顛倒和呻吟！

唉！我們要將潦倒的生活更新，

柴火

必不宜乞憐乞愛，效怯弱之行。
將自己的心血，沸騰交迸，
惟有力呵，可以將一切戰勝！

所以你對於他殊屬痛心，
你必不容他再在這裏狡逞。
用你丹朱似的尖喙啄他顱頂！
用你珊瑚似的利爪抓他衣領！

你又欲必將他的蹤跡滅盡，
吐出無數通紅的火粒星星。
燒呵！燒呵！猛烈的明光上升，

火柴

將他的身軀化爲灰燼！

現在他們方始想到了自身，
自由自在地正在用力使勁；
勇鼓的來達到所懸想的，
他們正在生命路上突進。

五

你勤奮着東西飛臨，
經過了多少美麗的春天好景：
映苦的碧谿，清水盈盈；
峭削的秀峯，瘦骨嶙嶙。

柴火

當那括地的風沙，在空間紛起揚塵，
濃濃的蔽着，對面不見人行。
那時你也在這模糊灰黃之間，
淸爽地響着，嘹嚦的鳴聲。

當那陣陣的大雨打那已搖倒的樹林，
巢間的小鳥只得祈求兢兢。
那時你也展開你的雙翅，趁着熱忱，
不顧你皎潔的毛羽受雨浸淋。

假使有一日呵，天地晦冥，

火柴

澄靑的天層忽與地面合幷。
那末你欲使你的工作完成，
當那西北的天柱尚未全傾。

假使也有一日呵，地球爆迸，
冲天的火光在地殼紛紛漫營。
那末你仍不息的努力你的工作，
除非是微小的生命沒有餘剩。

你這樣的竭力鼓勇，往返頻頻，
你的希望就像春筍般繁興。
埋下什麼的子，得着什麼的果，

柴火

那天地間那有空虛的奮心？

六

現在你的阻難方始雲消烟泯，
這地面上在在看見對你表示歡迎。
而你呵，却因此羞澀地躲去了，
躲在那重山深陰的森林。

他們眷眷的顧念你，特地相尋，
爲你造成了蓋世的大功，而身却隱。
亟亟地訪問，無處見你的蹤影，
却在這濃密的森林中寂然藏身。

火柴

於是他們團團環坐，趁着蔽陽的樹蔭，
齊聲地歌唱和着嘹亮的鳴琴。
他們頌讚你的言辭，滔滔不盡，
有：「山般的高峻，和海般的廣深。」

於是你也唱着，答謝他們的慇勤，
帶着過去的瑰志和奮力的苦辛。
他們聽見了，立即赧然而低頭了，
滴下他們悔恨的餘淚淋淋。

從此你就不將過去的事，引頸長鳴，

柴火

抑鬱地歌唱表示白髮的灰忱。
過去是不足迷戀的醜陋的枯骨喲！
再也不出現你潔白的心鏡。
你今後唱的是：「力的頌揚與固信，
活動的意義與宇宙的生命。」
精勤地找求工作罷，
重造我們生活的更新！

十四年二月二十日

一百四十六

再生的世界

一

在那嚴寒的時節，氣沈冬殘，
慘白的積雪，遍披枯山；
如剪樣的凜風，吹過荒坂；
堅厚的冰塊，堆積寒潭。
一切的生呵！都到各處藏埋，
畏怯地躲着，不敢伸首叫難！
生呵！生呵！你爲什麼這樣寒膽？

柴火

只有一個巨聲，在那裏呼喊。

春天的和風來了，雪融凍岩，
皜白的素衣忽換秀翠的青衫。
湍急的澗流，發着水聲潺潺，
輕捷的泛過，那個奇紋的石瀨。

春風經過了曠野，細草耀眼；
各種的異葩，競發爛漫。
鳥兒蝶兒們，都來這兒遊閒，
歌着舞着，美麗的春彩紛繁。

一百四十八

火　　柴

呵！舊的世界呵，是可怕的陰暗慘澹！
是沍凍的冰使，是凜寒的風怪，
他們管領着這裏，要把生命滅壞！
然而今呵！不留一些餘骸！

歡迎呵！歡迎這新生的世界開誕！
他就是我們母親的慈懷。
他給予我們生命多麼和諧，
願我們永遠發展，至於無限。

二

春天嫩綠的景色欣欣，

柴火

絲絲的陽光穿射透鑽着深林。
這裏面隱着無數嬌翠的流鶯，
不覺的唱着，表示歡迎。

有一羣純樸的村人，持着綵燈，
在晴明風光下，結隊遊行。
他們簡單的頭腦表他們歡情，
有更好的希望，即在眼前降臨。

牛背上的牧童，趁那藍天綠川互映，
吹着巧小的短笛，清脆動聽。
單純的音調叫出他的內心，

就是宇宙的萬象俱屬更新。

火柴

有個孩子忽然不見母親，
大雨點的哭着，發揮天翼。
母親來了，眼淚忽然收進，
牽着她的衣裾，喜色忻忻。

花影重重的北窗，雜陳聯楹，
春意爛縵的少女在寫書信，
桃紅的箋映那桃紅的臉，
手顫顫的寫着，十分熱忱。

柴火

那少年母親，抱着嬰兒，坐在中庭，
絮絮的談笑，親熱頻頻。
宇內的一切都不存在她心裏了，
祇有嬰孩玲瓏的顏面映入瞳睛。

三

當那茅亭之旁，圍着菁林翁茸，
紅寶石似的玫瑰，開得紛紜。
有無數的金蜂，上下戀着花蕊，
營營的工作，發聲嗡嗡。

在湖塘的上面一排的桃林深濃，

火柴

流火般的晚霞，廣被青空。
吹成波皺的和風，自南方輕送，
青翠的湖面，映成漪漣的亂紅。

山花開在低麓一直沿到高峯，
新鮮的漫爛，現着無限的笑容。
有一條谿流連續的歌唱琤瑽，
數點的微紅，滾滾盤旋其中。

明輝的夕陽在那西方山巔坐擁，
矗然的古塔在這高邸上聳。
傍晚的光線射着澄黃的磚上，

柴火

他的顏色藏着不測的神功。

崇高的山上，喬木葱蘢，
受着明粲的陽光，氣象穩雄。
下面是無際的平原，春光融融；
更遠則堆堆的小阜，喜媚從容。

青山遠抹的湖面，碧波溶溶，
強烈的日光，在上面泛湧。
有數點的水鳧，遠遠泅泳，
呵！他們欲在這黃金世界遊蹤！

火　　柴

四

當情人水晶似的美眸，喜揚流蕩；
羞紅的面頰泛着幸福的春光。
你勤勤的接吻，在這臉上，
呵！多少的溫柔，給你雙唇所嘗！

孩子的眼瞼，青靄似的下降，
安安的在母親酥軟的胸懷坦躺。
鎮靜的空氣，祗有親蜜的低唱，
這時，他的小心靈已到天國遊逛。

新盛的蓮花遍立廣闊的池塘；

柴火

雨後夕照的夏晚，多麼涼爽。
清潔的香氣像洪水般洋溢，
呵！他要融解我們輕薄的衣裳！

三楹的柏軒，隱蔽在緊密的幽篁。
外面還圍樹着數株的丹桂，金黃。
秋中到了，沈鬱的香氣開放，
怎樣的陶醉？當你携酒進觴。

春朝，花神開着壽筵，在深深的山嶂。
鳥兒們，獸兒們，都要奉上巨觥。
一面却或敲着金玉，或奏着笙簧，

火　柴

啊！在這裏發散怎樣美麗的音浪！

天女般的少女歌舞在廣座的場上，
婀娜的姿態披着皎白的美裝。
嬌脆的喉音發着歌聲清朗，
啊！深山的鳥兒要到這裏欣賞！

五

晴空的春雲，忽時密結，
魯漆室女正在依柱訴泣。
她不是自歎身世，飄搖孤子，
祗爲是傷她的祖國，將屬破滅。

柴火

羣衆的呼喊，北風猛烈，
狂妄的發動，不畏霜鏑。
大革命時代的法蘭西民衆喲！
你們爲要求平等，將頭顱拋擲！

森嚴的牢獄，祇見鎖鐵，
愛爾蘭的志士，在此絕粒，
他們欲將他們的主義貫澈，
呵！他們是擁護自由的俊傑！

那個倡導而實行兼愛的墨翟，

一百五十八

火　　柴

他摩頂放踵，都爲人類的，
亟亟惶惶有如惟恐不及，
不容一刻的辰光空空過隙。

喜馬拉耶的山巔，長年積雪，
印度小國的王子在此面壁。
他捐棄了這個的位高尊極，
祇爲救度這般衆生，苦海沈溺。

昏昏的天宇，立時暗黑，
耶穌基督正在這時逃逸！
他此後雖不能在地面泯迹，

柴火

但天國仍為我們在天上開闢。

六

茫茫的海面，無際廣遼，
狂妄的掀波，激成狂潮。
強烈的日光在上面照耀，
呵！海的威力呵，宇宙神的號嘯！

秋季悶熱的天氣不減炎夏，
蕭涼的清風忽地推動樹杪。
呵！大自然難測的力量呵！
這些沈沈的鬱悶，被你刮掉。

柴火

廣闊長橋的下面隱着巨魚一條，
無聲無息地，不將鱗鰭閃耀。
一旦忽然衝出了這長橋，
翔那汪洋的海上，水天渺渺。

草木新綠烟波輕揚的春郊，
忽見一隻白額的猛虎在跳。
細弱的動物，他們都隱去了，
悄悄地躲在陰叢的細條。

危崖下的深潭藏着潛蛟，

柴火

他寂寂地練修，鱗爪俱杳。
一朝忽然逕直的騰上雲表，
化雨化霧，遍洒那些樹梢。

濃密的深林，菩薩全遮，
睡獅醒了，雙眼金光直照。
他猛然地一聲咆哮，
隔山的樹木都爲動搖！

七

嬋娟的月兒，當那太清，
白棉絮樣的雲朵飄隨鬆散；

火柴

一會兒流過了，發光晶明，
是純潔的愛戀喲！又飛來頻頻。

青碧的海水，趁着藍空清明，
低微的拍着岩石，勤勤不停。
是忘却一切甜蜜的接吻喲！
多麼的親熱，表示戀慕的眞情。

有一對情人靜立在新葺的茶亭，
傾耳聽着遠上面婉啼的黃鶯，
黃鶯啼的是，戀愛的歌曲聲聲。
有沒有搖動呵？二人的心旌！

柴火

幽暗的燈光，室隅佔遍黑影，
白髮龍鍾的母親正在淌淚淋淋，
因爲有個獨子久年不給她音訊，
怎樣的眷念？老母親的心！

澤畔的芳草映着淸水盈盈，
少年詩人正在此地踟躕孤吟。
他並不自憐窘迫，年華喪盡，
欲造更好的國土，供人心神馳騁。

悄暗的深夜滿天都簇繁星，

老年的著作家猶欲將稿子寫成。
蓬蓬的白鬟，和有神的雙睛，
都足表示他爲人類的至忱。

八

歡樂啊！在這裏就是樂園的門！
朵朵的花兒披在門上繽紛；
陣陣的香氣泄出牆外芳芬。
啊！願我們快携着手兒同登！

這裏精緻的池上有個泉水高噴，
從大理石的雕刻裏品柱上騰；

柴　火

夕陽在森綠的林梢，喜悅低蹲，
頓幻現着五色奇異的雲氛。

這裏面也有珍奇的名花叢生：
或是微黃的芳芷，或是紫色的杜蘅；
也有紅絳的花朵如焚，
散漫着像天上的霞紋。

也不知在那裏奏着琴笙，
祇聽見清妙澈越的玎琤。
是青天裏所迸發出來嗎？
叫歡欣的我們，欣賞聽聞。

火　　柴

呵！我們快將我們的雙翅鼓奮，
迅速的向藍空中馳奔！
飛向　明光燦爛中去呵，
就是這新鮮溫熱的朝暾！

我們跳舞雀躍着圍繞這日輪，
手牽着手兒，大家歡歌紛紛，
輕捷的脚步，節拍一些不紊。
永久的工作呵！一切有生之倫。

十四年二月二十八日

柴火

一百六十八

民國十四年九月付印

▲實價大洋四角▼

著者　施牧子

發行者　施牧子

印刷者　華陞印局　甯波崔衙前

寄售處　各大書坊

花木蘭文化出版社聲明啓事

此次《民國文學珍稀文獻集成》出版，有賴各位作者家屬大力支持，慨然允贈版權，遂使這巨大的文化工程得以開展。我社全體同仁在此向各位致以誠摯的謝意！

由於民國作者人數眾多，年代久遠且戰火頻繁，我社傾全力尋找，遍訪各地，能夠找到的後人，得其親筆授權者，爲數甚寡。更多的情況是，因作者本人下落不明，連版權情況都無從知曉。

因此，我社鄭重聲明：

此叢書所錄專著，凡有在版權期內而未授權者，作者家屬可與我社聯繫，我社願奉送相關贈書 50 冊爲報酬，補簽授權協議。

望家屬看到此通知後與我社聯繫。聯繫信箱：hml@vip.163.com

花木蘭文化出版社

2017 年秋